나의 일을 더 사랑하고픈 당신에게

문장수집가

NO.2 SMALL SUCCESS

PROLOGUE

나의 취미는 문장을 모으는 일

정체 모를 공허함과 알 수 없는 불안감 속에서
위안과 용기를 건네는 단 하나의 문장을 찾아서

'나를 사랑하는 법 Love Myself'에 이어
두 번째로 수집한 문장들은
나의 일을 더 사랑하고픈 당신에게 전하는 메세지
'작은 성공부터! Small Success'입니다.

인생 대부분의 시간을 차지하는 것은 바로 노동Work.
각자의 일을 아끼고 사랑한다면
모든 삶은 조금씩 더 윤택해질 겁니다.

지금부터 나의 일을 돌아보고
목표를 향해 박차를 가해보세요.
아주 작은 성공의 경험은
당신을 앞으로 나아가게 할 동력이 되어줄 것입니다.

A | é

문장수집가 사용법

1

마음이 가는 문장을 외워 보세요.

열 마디 말보다 한 마디 말이 와닿을 때가 있지 않나요?
유난히 무기력하게 느껴지는 순간, 책장을 넘기다 마음에 드는 문장을
외워질 때까지 되풀이해서 읽어 보세요.

2

아침에 눈 뜨자마자 책장을 펼쳐 보세요.

하루의 시작을 문장수집가 속 문장으로 시작해 보세요.
오늘의 운세나 별자리를 보는 것처럼요.
힘이 되는 문장이 당신의 하루를 산뜻하게 만들어 줄 수 있을 거예요.

3

책상 위 보이는 곳에 꽂아 두세요.

일을 할 때 가장 많은 시간을 보내는 책상이나 테이블 위에 놓아두세요.
읽지 않아도 상관없어요. 무심코 고개를 들어 책과 마주한 순간
다시금 당신의 마음을 다잡아 줄 거랍니다.

HOW TO USE

4

일에 지쳐 힘든 친구에게 선물하세요.

새로운 일터에서 적응을 잘 못하거나 일이 안 풀려서
스트레스를 받는 친구에게 마음이 담긴 카드 한 장과 건네 보세요.
굳이 말하지 않아도 당신의 마음이 전해질 거예요.

5

무엇부터 할지 모르겠다면 일단 책장을 펼쳐 보세요.

아무것도 하기 싫은 날,
억지로 무언가를 하기 보다 자신에게 시간을 주는 건 어떨까요?
커피 한 잔과 함께 책장을 펼치면 마음을 다잡게 하는 문장과
운명처럼 만날 수 있을 거예요.

Atelier
de
Edito

'아틀리에 드 에디토'의 다양한 소식이 궁금하다면,
인스타그램(@atelier_de_edito)을 팔로잉하세요.

A WISE MAN WILL MAKE MORE OPPORTUNITIES THAN HE FINDS.

Francis Bacon, Philosopher, 1561-1626

현명한 자라면 찾아낸 기회보다 더 많은 기회를 만들 것이다.

프랜시스 베이컨, 철학자, 1561-1626

THE MOST EFFECTIVE WAY TO DO IT, IS TO DO IT.

Amelia Mary Earhart, Aviator, 1897–1937

그것을 하는 가장 좋은 방법은 그냥 그것을 하는 것이다.

아멜리아 에어하트, 비행사, 1897–1937

A goal without a plan is just a wish.

Saint-Exupery, Novelist, 1900–1944

계획 없는 목표는 한낱 꿈에 불과하다.
생텍쥐페리, 소설가, 1900–1944

If you're never scared or embarrassed or hurt, it means you never take any chances.

Julia Sorel, Actress, 1966-

만약 당신이 한 번도 두렵거나 굴욕적이거나 상처입은 적이 없다면,
당신은 아무런 위험도 감수하지 않은 것이다.

줄리아 소렐, 배우, 1966-

I have not failed. I've just found 10,000 ways that won't work.

Thomas Alva Edison, Inventor, 1847–1931

나는 실패한 적이 없다. 나는 그저 작동하지 않는 만 개의 방법을 찾았을 뿐이다.

토머스 에디슨, 발명가, 1847–1931

THERE ARE NO MENIAL JOBS, ONLY MENIAL ATTITUDES.

William J. Brennan Jr., Judge, 1906–1997

천한 직업은 없다. 천한 태도만 있을 뿐이다.

윌리엄 J. 브레넌 주니어, 판사, 1906–1997

THE WORLD IS
MOVING SO FAST THESE DAYS THAT
THE MAN WHO SAYS
IT CAN'T BE DONE IS GENERALLY
INTERRUPTED
BY SOMEONE DOING IT.

Elbert Hubbard, Writer, 1856-1915

오늘날 세상은 너무나도 빠르게 움직이고 있기 때문에, 할 수 없다고 말하는 사람들은
그것을 하고 있는 다른 누군가에 의해 대체되기 쉽다.

엘버트 허버드, 작가, 1856-1915

Done is better than perfect.

Sheryl Kara Sandberg, Businesswoman, 1969-

해냈다는 것은 완벽을 기하는 것보다 훌륭한 일이다.

셰릴 샌드버그, 기업인, 1969-

START WITH A SMALL SUCCESS.

Dale Carnegie, Entrepreneur, 1888–1955

작은 성공부터 시작하라.

데일 카네기, 기업가, 1888–1955

A GOAL IS A DREAM

Napoleon Hill, Writer, 1883–1970

WITH A DEAD-LINE.

목표는 마감 기한이 있는 꿈을 말한다.

나폴레온 힐, 작가, 1883-1970

Without work,
all life goes rotten.
But when work is
soulless,
life stifles and dies.

Albert Camus, Novelist, 1913–1960

일이 없다면 삶은 썩어간다. 그러나 일에 영혼이 없다면 삶은 질식하며 죽어간다.

알베르 카뮈, 소설가, 1913–1960

Having once decided to achieve a certain task, achieve it at all costs of tedium and distaste. The gain in self-confidence of having accomplished a tiresome labor is immense.

Arnold Bennett, Novelist, 1867-1931

어떤 일을 달성하기로 결심했으면 그 어떤 지겨움과 혐오감도 불사하고 완수하라.
고단한 일을 해낸 데서 오는 자신감은 실로 엄청나다.

아놀드 베넷, 소설가, 1867-1931

Don't let your ego get too close to your position, so that if your position gets shot down, your ego doesn't go with it.

Colin Luther Powell, Politician, 1937–2021

당신의 자존심이 당신의 입장과 너무 가까워지지 않도록 하세요.
그래야 당신의 입장이 무너져도 당신의 자존심이 따라가지 않을 것입니다.

콜린 파월, 정치인, 1937–2021

All things are difficult before they are easy.

Thomas Fuller, Believer, 1608–1661

모든 일은 쉬워지기 전에 어렵다.

토마스 풀러, 종교인, 1608–1661

There's No Useless Effort.

Henry David Thoreau, Thinker & Poet, 1817–1862

쓸데없는 노력은 없다.

헨리 데이비드 소로, 사상가 & 시인, 1817–1862

The best preparation for tomorrow is to do today's work superbly well.

William Osler, Medical Scientist, 1849-1919

내일을 위한 최선의 준비는 오늘의 일을 훌륭하게 해내는 것이다.

윌리엄 오슬러, 의학자, 1849-1919

Never bend
your head.
Hold it high.

Look the world
straight
in the eye.

Helen Adams Keller, Social Worker, 1880–1968

절대로 고개를 떨구지 마세요. 고개를 치켜들고 세상을 똑바로 바라보세요.
헬렌 켈러, 사회사업가, 1880–1968

WORK HARD. IN THE END, PASSION AND HARD WORK BEATS OUT NATURAL TALENT.

Pete Docter, Animation Director, 1968-

열심히 일하라. 결국 열정과 노력이 타고난 재능을 이긴다.

피트 닥터, 애니메이션 감독, 1968-

The gratification comes in the doing, not in the results.

James Byron Dean, Actor, 1931–1955

만족은 결과가 아니라 과정에서 온다.

제임스 딘, 배우, 1931–1955

Maybe other people will try to limit me, but I don't limit myself.

Jim Carrey, Actor, 1962-

다른 사람은 나를 제한할 수도 있지만 나는 나를 제한하지 않는다.

짐 캐리, 배우, 1962-

Learning never exhausts the mind.

Leonardo da Vinci, Artist & Scientist, 1452–1519

배움은 결코 마음을 고갈시키지 않는다.

레오나르도 다 빈치, 미술가 & 과학자, 1452–1519

LEAD,
FOLL
GET
THE

Ted Turner, Businessman, 1938–

W OR
UT OF
WAY.

이끌든지, 따르든지, 비키든지.

테드 터너, 기업인, 1938-

The one way to get me to work my hardest was to doubt me.

Michelle Obama, The First Lady, 1964-

나를 가장 열심히 일하게 만드는 것은 나를 의심하는 것이었다.

미셸 오바마, 영부인, 1964-

Be brave.
Take risks.

Nothing can substitute experience.

Paulo Coelho, Novelist, 1947-

용기를 내라. 위험을 감수하라. 경험을 대신할 수 있는 것은 없다.

파울로 코엘료, 소설가, 1947-

The world breaks everyone, and afterward, some are strong at the broken places.

Ernest Miller Hemingway, Novelist, 1899-1961

세상은 모든 사람을 부수고, 일부는 깨진 곳에서 강해진다.

어니스트 헤밍웨이, 소설가, 1899-1961

Intelligence without ambition is a bird without wings.

Salvador Dali, Painter, 1904–1989

야망 없는 지성은 날개 없는 새와 같다.

살바도르 달리, 화가, 1904–1989

Change your opinions,
Keep to your principles;

Change your leaves,
Keep intact your roots.

Victor Hugo, Writer, 1802–1885

의견을 바꾸고 원칙을 지켜라. 잎을 바꾸고 뿌리를 지키듯.

빅토르 위고, 작가, 1802–1885

Great things are done
by a series of small things
brought together.

Vincent van Gogh, Painter, 1853–1890

위대한 것은 작은 것들이 모여서 이루어지는 것이다.

빈센트 반 고흐, 화가, 1853–1890

YOU CANNOT FAIL UNLESS YOU QUIT.

Abraham Lincoln, The 16th U.S. President, 1809-1865

당신이 포기하지만 않는다면, 당신은 실패할 수 없습니다.

에이브러햄 링컨, 미국 16대 대통령, 1809-1865

My experie
that work
best way to
out of the

Eleanor Roosevelt, The First Lady, 1884–1962

e has been
almost the
pull oneself
pths.

내 경험에 따르면, 일은 자신을 깊은 곳에서 끌어내는 가장 좋은 방법입니다.

엘리너 루즈벨트, 영부인, 1884-1962

WE WILL EITHER FIND A WAY, OR MAKE ONE.

Hannibal, Politician, B.C. 247-B.C.183

우리는 길을 찾아낼 것이다. 아니면 만들어내든가.

한니발, 정치가, B.C. 247-B.C.183

An expert is a person who has made all the mistakes that can be made in a very narrow field.

Niels Bohr, Physicist, 1885–1962

전문가란 아주 좁은 분야에서 가능한 모든 실수들을 저질러본 사람이다.

닐스 보어, 물리학자, 1885–1962

HAPPINESS LIES IN THE JOY OF ACHIEVEMENT AND THE THRILL OF CREATIVE EFFORT.

Franklin Roosevelt, The 32nd U.S. President, 1882-1945

행복은 성취의 기쁨과 창조적인 작업의 황홀감 속에 있다.

프랭클린 루스벨트, 미국 32대 대통령, 1882-1945

WHEN YOU HAVE CONFIDENCE, YOU CAN HAVE A LOT OF FUN. AND WHEN YOU HAVE FUN, YOU CAN DO AMAZING THINGS.

Joe Namath, Football Player, 1943-

자신감이 있어야 재미있게 즐길 수 있다. 재미가 있어야 놀라운 일을 할 수 있다.

조 나마스, 풋볼 선수, 1943-

You're going to do stupid things. But do silly things passionately.

Sidonie-Gabrielle Colette, Novelist, 1873–1954

당신은 바보 같은 일들을 하게 될 것이다. 그러나 바보 같은 일도 열정적으로 하라.

시도니 가브리엘 콜레트, 소설가, 1873–1954

moi...
en 1897

WE HAVE
TWO EARS
AND ONE MOUTH
SO THAT
WE CAN
LISTEN TWICE
AS MUCH AS
WE SPEAK.

Epictetus, Philosopher, 55-135

말하는 것의 두 배를 들으라고, 귀는 두 개이고 입은 하나인 것이다.

에픽테토스, 철학자, 55-135 (추정)

My mission in life is not merely to survive, but to thrive.

Maya Angelou, Poet & Actress, 1928-2014

내 인생의 사명은 단순히 생존하는 것이 아니라 번성하는 것이다.

마야 안젤루, 시인 & 배우, 1928-2014

It's easy to make a buck. It's a lot tougher to make a difference.

Tom Brokaw, Anchor, 1940–

돈을 버는 것은 쉽다. 차이를 만드는 것이 훨씬 더 어렵다.

톰 브로코, 앵커, 1940–

WHAT WE NEED IS TO USE WHAT WE HAVE.

Susan Sontag, Writer & Art Critic, 1933-2004

우리에게 필요한 것은 우리가 가진 것을 사용하는 것이다.

수전 손택, 작가 & 예술평론가, 1933-2004

To achieve great things, two things are needed :

a plan

and

not quite enough time.

Leonard Bernstein, Conductor, 1918-1990

위대한 일을 해내려면 두 가지가 필요하다. 계획, 그리고 불충분한 시간.

레너드 번스타인, 지휘자, 1918-1990

Love and work,
work and love.
That's all there is.

from movie **The Intern**, 2015

사랑하고 일하라, 일하고 사랑하라. 그게 삶의 전부예요.

영화 〈인턴〉 (2015) 중에서

Nobody really cares that I can do this job, but I can, I wanted you to see that.

from movie **Morning Glory**, 2010

아무도 알아주지 않지만, 난 해낼 수 있는 능력이 있어. 그걸 보여주고 싶었어.

영화 〈굿모닝 에브리원〉 (2010) 중에서

JUST WHEN YOU THINK YOU KNOW SOMETHING, YOU HAVE TO LOOK AT IT IN ANOTHER WAY.

from movie **Dead Poets Society**, 1989

무언가를 안다고 생각할 때, 여러분은 그걸 다른 방식으로도 봐야 합니다.

영화 〈죽은 시인의 사회〉 (1989) 중에서

Don't beat yourself up. Don't need to run so fast.

Sometimes we come last, but we did our best.

from movie **Zootopia**, 2016

자신을 자책하지 마. 너무 서두르지 않아도 돼. 마지막으로 들어왔더라도 최선을 다했으면 됐어.

영화 〈주토피아〉 (2016) 중에서

A good plan to
a perfect pl
Don't wait for a
to com
Work your way
see wha

Andy Weir, Novelist, 1972–

is better than
tomorrow.
inspired ending
mind.
the ending and
omes up.

오늘의 좋은 계획이 내일의 완벽한 계획보다 낫습니다. 감동적인 결말이 떠오를 때까지
기다리지 마세요. 끝까지 일하고, 무슨 일이 일어나는지 확인하세요.
앤디 위어, 소설가, 1972-

What we have to do is to be forever curiously testing new opinions and courting new impressions.

Walter Horatio Pater, Literary Critic, 1839-1894

우리가 해야 할 일은 끊임없이 호기심을 갖고 새로운 생각을 시험해보고
새로운 인상을 받는 것이다.

월터 페이터, 문학평론가, 1839-1894

WE ARE WHAT WE REPEATEDLY DO.

Aristoteles, Philosopher, B.C. 384-B.C. 322

우리는 우리가 반복적으로 하는 행동, 그 자체다.

아리스토텔레스, 철학자, B.C. 384-B.C. 322

ONLY THE PERSON WHO HAS FAITH IN HIMSELF IS ABLE TO BE FAITHFUL TO OTHERS.

Erich Pinchas Fromm, Philosopher, 1900–1980

스스로를 신뢰하는 사람만이 다른 사람들에게 성실할 수 있다.

에리히 프롬, 철학자, 1900–1980

The competitor to be feared is one who never bothers about you at all but goes on making his own business better all the time.

Henry Ford, Entrepreneur, 1863–1947

두려워해야 할 경쟁자는 당신에 대해 전혀 신경 쓰지 않고
항상 자신의 사업을 더 좋게 만드는 사람이다.
헨리 포드, 기업인, 1863–1947

To follow, without halt, one aim. There's the secret of success.

Anna Pavlova, Ballerina, 1881–1931

멈추지 말고 하나의 목표에 집중하라. 그것이 성공의 비결이다.

안나 파블로바, 발레리나, 1881–1931

Love all, trust a few, do wrong to none.

William Shakespeare, Playwriter, 1564–1616

모두를 사랑하고, 소수를 신뢰하고, 아무에게도 잘못하지 말 것.

윌리엄 셰익스피어, 극작가, 1564–1616

TRUST NOT YOURSELF, BUT YOUR DEFECTS TO KNOW, MAKE USE OF EVERY FRIEND AND EVERY FOE.

Alexander Pope, Poet, 1688–1744

자신을 믿지 말고, 자신의 결점을 알고, 모든 친구와 모든 적을 활용하라.

알렉산더 포프, 시인, 1688–1744

IF YOU CAN DREAM IT, YOU CAN DO IT.

Walt Disney, Entrepreneur & Animator, 1901-1966

만약 당신이 그것을 꿈꿀 수 있다면, 당신은 그것을 할 수 있다.

월트 디즈니, 기업인 & 만화영화 제작자, 1901-1966

OUR GREATEST GLORY IS NOT IN NEVER FAILING, BUT IN RISING UP EVERY TIME WE FAIL.

Ralph Waldo Emerson, Thinker & Poet, 1803-1882

우리에게 있어서 가장 명예로운 것은 절대 넘어지지 않는 것이 아니라,
넘어질 때마다 다시 일어나는 것이다.

랄프 왈도 에머슨, 사상가 & 시인, 1803-1882

If you're det
do it witho

Yoon Yeo-Jung, Actress, 1947–

nined to do it,

complaints.

하기로 마음 먹었다면 불평 없이 하세요.

윤여정, 배우, 1947-

You have to be looking for them.
When you find your PASSION,
it's a fantastic gift for you.

Because it gives you DIRECTION,
it gives you PURPOSE.
You could have a good job, or
you can have a career, or
you can have a calling.

Jeff Bezos, Entrepreneur, 1964–

열정을 찾으면 그것은 멋진 선물이 된다. 방향을 제시해주고, 삶의 목적을 주고,
일과 경력을 만들어 주며, 그 일이 당신에게 천직이 될 수 있기 때문이다.

제프 베조스, 기업가, 1964–

INSPIRATION COMES OF WORKING EVERY DAY.

Charles-Pierre Baudelaire, Poet, 1821-1867

영감은 매일 일하는 것으로부터 온다.

샤를 보들레르, 시인, 1821-1867

BEFORE YOU DO SOMETHING YOU HAVE TO LOOK FORWARD TO IT.

Michael Jordan, Basketball Player, 1963-

무슨 일을 하기 전에는 그 일에 대해 기대를 가져야 한다.
마이클 조던, 농구 선수, 1963-

Work and acquire, and thou hast chained the wheel of chance.

Ralph Waldo Emerson, Thinker & Poet, 1803-1882

일하여 얻으라. 그러면 운명의 바퀴를 붙들어 잡은 것이다.

랄프 왈도 에머슨, 사상가 & 시인, 1803-1882

Never, Never, Never Give up!

Winston Churchill, Politician, 1874–1965

절대로, 절대로, 절대로 포기하기 마세요.

윈스턴 처칠, 정치가, 1874–1965

Keep thinking about different ways. So that the maximum results can be achieved with minimal means.

Ingvar Kamprad, Entrepreneur, 1926–2018

최소의 수단으로 최대의 결과를 얻을 수 있도록 끊임없이 다른 방식을 고민하라.
잉바르 캄프라드, 기업인, 1926–2018

THE MAIN THING TO DO IS RELAX AND LET YOUR TALENT DO THE WORK.

Charles Barkley, Basketball Player, 1963-

가장 중요한 것은 긴장을 풀고 재능이 일을 하도록 하는 것입니다.

찰스 바클리, 농구 선수, 1963-

NO QUESTIONS, NO INSIGHT.

Peter Ferdinand Druker, Social Ecologist, 1909-2005

질문이 없다면 통찰도 없다.

피터 드러커, 사회생태학자, 1909-2005

The important thing is
to go straight
on the path now granted to me
and not compare it
to the path of others.

Hermann Hesse, Novelist, 1877–1962

중요한 것은 지금 나에게 부여된 길을 똑바로 나아가고,
그것을 다른 사람들의 길과 비교하지 않는 것이다.
헤르만 헤세, 소설가, 1877–1962

The best creativity is the result of good working habits.

Twyla Tharp, Modern Dancer, 1941–

최고의 창의성은 좋은 작업 습관의 결과입니다.

트와일라 타프, 현대무용가, 1941–

In order that a man may be happy, it is necessary that he should not only be capable of his work, but a good judge of his work.

John Ruskin, Literary Critic, 1819-1900

사람이 행복하기 위해서는 일을 할 수 있어야 할 뿐 아니라
자신이 한 일을 제대로 판단할 수 있어야 한다.

존 러스킨, 문학평론가, 1819-1900

MAKING MONEY IS ART AND WORKING IS ART AND GOOD BUSINESS IS THE BEST ART.

Andy Warhol, Artist, 1928–1987

돈을 버는 것은 예술이고, 일하는 것도 예술이며, 훌륭한 사업이야말로 가장 뛰어난 예술이다.

앤디 워홀 , 미술가, 1928–1987

OUR PATIENCE WILL ACHIEVE MORE THAN OUR FORCE.

Edmund Burke, Politician, 1729-1797

힘보다는 인내심으로 더 많은 일을 이룰 수 있다.

에드먼드 버크, 정치가, 1729-1797

NEVER TURN DOWN A JOB BECAUSE YOU THINK IT IS TOO SMALL, YOU DON'T KNOW WHERE IT CAN LEAD.

Julia Morgan, Architect, 1872-1957

작은 일이라고 해서 절대 거절하지 마세요. 그 일이 어디로 이어질지 모르니까요.

줄리아 모건, 건축가, 1872-1957

Knowing is not enough; We must apply.

Willing is not enough; We must do.

Johann Wolfgang von Goethe, Writer & Philosopher, 1749–1832

아는 것만으로는 충분하지 않다. 적용해야 한다. 의지만으로는 충분하지 않다. 실행해야 한다.

요한 볼프강 폰 괴테, 작가 & 철학자, 1749–1832

Your attitude, not your aptitude, will determine your altitude.

Zig Ziglar, Writer, 1926-2012

재능이 아닌 태도가 사람의 위치를 결정한다.

지그 지글러, 작가, 1926-2012

IT'S NOT THAT I'M SO SMART, IT'S JUST THAT I STAY WITH PROBLEMS LONGER.

Albert Einstein, Physicist, 1879-1955

내가 똑똑해서가 아니다. 그저 다른 사람보다 더 오래 문제와 씨름했을 뿐이다.

알버트 아이슈타인, 물리학자, 1879-1955

Forget fast mistakes.
Forget failures.
Forget everything

except what
you're going to do now
and do it.

William Crapo Durant, Businessman, 1861-1947

과거의 실수와 실패는 잊어라. 지금 하려는 일을 제외한 모든 것을 잊고 그것에 매진하라.

윌리엄 듀란트, 기업인, 1861-1947

THE GREATEST PLEASURE IN LIFE IS DOING WHAT PEOPLE SAY YOU CANNOT DO.

Walter Bagehot, Economist & Literary Critic, 1826-1877

인생의 가장 큰 기쁨은 사람들이 '당신은 할 수 없다'고 말한 일을 해내는 것이다.

월터 배젓, 경제학자 & 문학평론가, 1826-1877

Work cures everything.

Henri Matisse, Painter, 1869–1954

일은 모든 것을 치료한다.

앙리 마티스, 화가, 1869–1954

Believe in yourself, listen to your gut, and do what you love.

Dylan Lauren, Entrepreneur, 1974-

자신을 믿고, 직감에 귀 기울이고, 좋아하는 일을 하세요.

딜런 로렌, 사업가, 1974-

Work isn't t
you work t

Marc Chagall, Painter, 1887–1985

make money;
justify life.

일은 돈을 벌기 위한 것이 아니다. 삶을 정당화하기 위해 일하는 것이다.

마크 샤갈, 화가, 1887~1985

If you do what you love, it is the best way to relax.

Christian Louboutin, Fashion Designer, 1963-

좋아하는 일을 하는 것이 휴식을 취하는 가장 좋은 방법입니다.

크리스찬 루부탱, 패션 디자이너, 1963-

IF YOU CANNOT DO GREAT THINGS, DO SMALL THINGS IN A GREAT WAY.

Napoleon Hill, Writer, 1883–1970

위대한 일을 할 수 없다면 작은 일을 훌륭하게 해내세요.

나폴레온 힐, 작가, 1883–1970

Every day, my daddy told me the same thing.

'Once a task is just begun, never leave it till it's done. Be the labor great or small, do or well or not at all.'

Quincy Jones, Musician, 1933-

매일 아버지는 나에게 똑같은 말을 하셨다.
'일단 시작한 일은 끝날 때까지 절대 방치하지 마라. 크든 작든, 잘 하든 못 하든.'
퀸시 존스, 뮤지션, 1933-

TO FIND JOY IN WORK IS TO DISCOVER THE FOUNTAIN OF YOUTH.

Pearl S. Buck, Novelist, 1892-1973

일에서 기쁨을 찾는 것은 젊음의 샘을 찾는 것이다.

펄 S. 벅, 소설가, 1892-1973

LIVING IS MORE A QUESTION OF WHAT ONE SPENDS THAN WHAT ONE MAKES

Marcel Duchamp, Artist, 1887–1968

산다는 것은 무엇을 버느냐의 문제가 아니라 무엇을 쓰느냐의 문제이다.

마르셀 뒤샹, 미술가, 1887–1968

The reward for work well done is the opportunity to do more.

Jonas Edward Salk, Medical Scientist, 1914-1995

잘한 일에 대한 보상은 더 많은 일을 할 수 있는 기회입니다.

조너스 소크, 의학자, 1914-1995

A WINNER IS JUST A LOSER WHO TRIED ONE MORE TIME.

George M. Moore Jr., Novelist, 1852-1933

승자는 한 번 더 도전한 패배자일 뿐이다.

조지 무어, 소설가, 1852-1933

BE STRONG IN BODY, CLEAN IN MIND, LOFTY IN IDEALS.

James Nasmyth, Inventor, 1861-1939

몸은 강하고 마음은 깨끗하며 이상은 높게 하세요.

제임스 네이즈미스, 발명가, 1861-1939

TO FIND OUT WHAT ONE IS FITTED TO DO, AND TO SECURE AN OPPORTUNITY TO DO IT, IS THE KEY TO HAPPINESS.

John Dewey, Philosopher, 1895-1952

자신이 할 수 있는 일이 무엇인지 찾아내고
그것을 할 수 있는 기회를 확보하는 것이 행복의 열쇠다.
존 듀이, 철학자, 1895-1952

It is extraordinary to carry out ordinary things with ordinary minds every day.

Andre Gide, Novelist, 1869–1951

평범한 일을 매일 평범한 마음으로 실행하는 것이 비범한 것이다.

앙드레 지드, 소설가, 1869–1951

INTEGRITY IS THE ESSENCE OF EVERYTHING SUCCESSFUL.

Buckminster Fuller, Inventor, 1895-1983

성실은 모든 성공의 본질입니다.

버크민스터 풀러, 발명가, 1895-1983

I THINK

EVERY M

OF

Jeff Koons, Artist, 1955–

ABOUT

MY WORK

UTE

THE DAY

나는 하루의 매 순간 내 일에 대해 생각한다.

제프 쿤스, 미술가, 1955-

HONOR LIES IN HONEST TOIL.

Stephen Grover Cleveland, The 22nd U.S. President, 1837-1908

명예는 정직한 수고에 있다.

스테판 그로버 클리블랜드, 미국 22대 대통령, 1837-1908

HE WHO SEEKS

REST

FINDS BOREDOM.

HE WHO SEEKS

WORK

FINDS REST.

Dylan Thomas, Poet, 1914-1953

쉼을 찾는 자는 권태를 얻고, 일을 구하는 자는 쉼을 얻는다.

딜런 토마스, 시인, 1914-1953

The secret of getting ahead is getting started. The secret of getting started is breaking your complex overwhelming tasks into small manageable tasks, and then starting on the first one.

Mark Twain, Novelist, 1835–1910

앞서 가는 방법의 비밀은 시작하는 것이다. 시작하는 방법의 비밀은 복잡하고 과중한 작업을 할 수 있는 작은 업무로 나누어, 그 첫 번째 업무부터 시작하는 것이다.

마크 트웨인, 소설가, 1835–1910

No fine work can be done without concentration and self-sacrifice and toil and doubt.

Max Beerbohm, Essayist, 1872-1956

집중과 자기 희생, 그리고 수고와 의심 없이는 훌륭한 일을 할 수 없다.

맥스 비어봄, 수필가, 1872-1956

It is only when I am doing my work that I feel truly alive.

Federico Fellini, Film Director, 1920-1993

나는 내 일을 할 때에만 진정으로 살아있음을 느낀다.

페데리코 펠리니, 영화감독, 1920-1993

It is an immutable law in business that words are words, explanations are explanations, promises are promises — but only performance is reality.

Harold S. Geneen, Entrepreneur, 1910–1997

말, 설명, 약속은 비즈니스에서 불변의 법칙이지만 실행만이 현실이다.

해롤드 S. 제닌, 사업가, 1910–1997

BLESSED IS HE WHO HAS FOUND HIS WORK; LET HIM ASK NO OTHER BLESSEDNESS.

Thomas Carlyle, Philosopher, 1795-1881

자신의 일을 찾은 사람은 복이 있다. 다른 축복을 구하지 말라.

토마스 칼라일, 철학자, 1795-1881

Change your life today. Don't just believe in luck, but act right now.

Simone de Beauvoir, Writer, 1908–1986

오늘 인생을 바꿔라. 행운만 믿지 말고, 지금 당장 지체없이 행동하라.

시몬 드 보부아르, 작가, 1908–1986

WELL DONE IS BETTER THAN SAID.

Benjamin Franklin, Politician, 1706-1790

실천이 말보다 낫다.

벤자민 프랭클린, 정치인, 1706-1790

THE MOST IMPORTANT INVESTMENT YOU CAN MAKE IS IN YOURSELF.

Warren Buffett, Investor, 1930-

가장 중요한 투자는 자기 자신에게 하는 투자이다.

워렌 버핏, 투자가, 1930-

WORK GIVES YOU MEANING AND PURPOSE AND LIFE IS EMPTY WITHOUT IT.

Stephen William Hawking, Physicist, 1942-2018

일은 삶의 의미와 목적을 부여한다. 그것이 없으면 삶은 공허하다.

스티븐 호킹, 물리학자, 1942-2018

IT IS NOT
THE STRONGEST
OF THE SPECIES
THAT SURVIVE,
NOT THE MOST
INTELLIGENT
BUT THE ONES
MOST RESPONSIVE
TO CHANGE.

Charles Robert Darwin, Biologist, 1809-1882

살아남는 종은 강한 종도, 똑똑한 종도 아니다. 변화에 적응하는 종이다.
찰스 다윈, 생물학자, 1809-1882

WRITING NOTE

당신의 마음을 움직인 문장들을 외울 때까지
반복해서 적어보세요.

WRITING NOTE

WRITING NOTE

WRITING NOTE

WRITING NOTE

WRITING NOTE

WRITING NOTE

WRITING NOTE

WRITING NOTE

. .

WRITING NOTE

WRITING NOTE

WRITING NOTE

WRITING NOTE

WRITING NOTE

WRITING NOTE

WRITING NOTE

WRITING NOTE

WRITING NOTE

WRITING NOTE

WRITING NOTE

INDEX

A

ABRAHAM LINCOLN	에이브러햄 링컨	미국의 제16대 대통령. 남북 전쟁을 승리로 이끌며 점진적인 노예 해방을 이뤘다.
ALBERT CAMUS	알베르 카뮈	프랑스의 소설가이자 극작가로, 1942년 『이방인』 발표를 시작으로 부조리한 인간과 사상을 이야기했다.
ALBERT EINSTEIN	알버트 아인슈타인	현대 물리학의 기둥으로 여겨지는 '상대성 이론'을 발표한 독일 태생의 이론물리학자.
ALEXANDER POPE	알렉산더 포프	영국 신고전주의 시대를 대표하는 시인이자 비평가. 16세 때 쓴 『전원시』로 주목을 받았고, 호메로스의 『일리아스』 등을 번역했다.
AMELIA MARY EARHART	아멜리아 에어하트	미국의 비행사로, 여성비행사로는 최초로 대서양을 횡단하며 '하늘의 퍼스트 레이디'라는 별명을 얻었다.
ANDRE GIDE	앙드레 지드	20세기 프랑스 문단을 대표하는 작가 중 한 사람으로, 1947년 노벨문학상을 수상했다. 대표작으로 『좁은 문』이 있다.
ANDY WARHOL	앤디 워홀	현대 미술의 아이콘이자 미국 팝아트의 선구자. 시각 예술 전반에서 혁명적인 변화를 주도했다.
ANDY WEIR	앤디 위어	미국의 SF 소설가로, 데뷔작 『마션』이 동명의 영화로 개봉되면서 스타 작가의 반열에 올랐다.
ANNA PAVLOVA	안나 파블로바	발레 역사상 가장 위대한 발레리나 중 한 명으로 칭송받는다. 오늘날 유럽과 북미 무용 발전에 큰 영향을 미쳤다.
ARISTOTELES	아리스토텔레스	스승인 플라톤과 함께 서양철학사에서 가장 중요한 인물로 꼽히는 철학자. 학문 전반에 걸친 백과전서적 학자이다.

INDEX

ARNOLD BENNETT	아놀드 베넷	『하루 24시간 어떻게 살 것인가』, 『자기 관리』 등 시간 활용과 생활 철학에 관한 저서를 집필한 영국의 작가이자 사상가.

B

BENJAMIN FRANKLIN	벤자민 프랭클린	'미국 건국의 아버지' 중 한 명으로 꼽히는 정치가. 과학자로써 다초점 렌즈 등을 발명하고 저술가로도 활약했다.
BUCKMINSTER FULLER	버크민스터 풀러	미국의 건축가이자 철학자, 발명가로, 현대 공업사회에 입각한 지오데식 돔을 디자인한 것으로 알려져 있다.

C

CHARLES BARKLEY	찰스 바클리	전 농구 선수이자 스포츠 해설가. NBA 역사상 가장 압도적인 파워 포워드 중 한 명이다.
CHARLES-PIERRE BAUDELAIRE	샤를 피에르 보들레르	19세기 후반 프랑스의 시인으로, 베를렌, 랭보 등의 상징파 시인에게 큰 영향을 미쳤다. 유일한 시집 『악의 꽃』을 남겼다.
COLIN LUTHER POWELL	콜린 파월	미국 역사상 흑인 최초로 합참의장과 국무장관을 지내며, 레이건, 부시, 클린턴까지 세 명의 대통령을 보좌했다.

D

DALE CARNEGIE	데일 카네기	미국의 처세술 전문가로, 카네기 연구소를 설립해 인간 경영과 자기 계발 분야에서 기념비적인 업적을 남겼다.
DYLAN LAUREN	딜런 로렌	미국의 패션 디자이너 랄프 로렌의 딸이자 2001년 딜런 캔디바를 론칭한 사업가이다.
DYLAN THOMAS	딜런 토마스	1940년대 신낭만주의를 대표하는 시인. 평생 인간의 삶과 근원적 문제를 탐구해 '통찰력의 시인'으로 불리기도 한다.

E

EDMUND BURKE	에드먼드 버크	아일랜드 출신의 정치가. 시민의 행복과 정의를 실현하는 정치 제도와 방법을 주장했다.

INDEX

ELBERT HUBBARD	엘버트 허버드	미국의 출판사 로이크로프트를 설립한 출판 경영자이자 에세이스트. 대표작으로 『가르시아 장군에게 보내는 편지』가 있다.
ELEANOR ROOSEVELT	엘리너 루스벨트	미국 제32대 대통령인 프랭클린 루스벨트의 부인으로, 여성 노동자 연맹에 가입하고 반전 운동에 뛰어드는 등 사회운동가로 활약했다.
EPICTETUS	에픽테토스	고대 그리스 로마 스토아 학파의 대표적인 철학자로, 내면의 자유를 추구했다.
ERICH PINCHAS FROMM	에리히 프롬	독일계 미국인으로 사회심리학자이면서 정신분석학자이다. 대표작으로 『소유냐 존재냐』, 『사랑의 기술』 등이 있다.
ERNEST MILLER HEMINGWAY	어니스트 헤밍웨이	『노인과 바다』로 퓰리처상, 노벨문학상을 받은 미국의 대표 소설가이다.

F

FEDERICO FELLINI	페데리코 펠리니	리얼한 현실 세계와 상상의 세계를 넘나드는 이탈리아의 영화감독. 아카데미 외국어 영화상 부문에서 네 번의 수상을 거머쥐었다.
FRANCIS BACON	프랜시스 베이컨	영국의 철학자. 저서 『신기관』, 『학문의 진보』를 통해 르네상스 이후의 근대 철학을 주도했다.
FRANKLIN ROOSEVELT	프랭클린 루스벨트	미국 제32대 대통령. 대공황과 제2차 세계대전이라는 두 차례의 국난을 안정적으로 극복하여 20세기를 대표하는 인물 중 한 사람으로 꼽힌다.

G

GEORGE M. MOORE JR.	조지 무어	제2차 세계대전과 한국 전쟁의 참전 용사이자 소설가. 영화 〈위 워 솔저스〉의 원작자이다.

H

HANNIBAL	한니발	기원전 3세기, 로마를 위협했던 카르타고의 정치가이자 명장. '전략의 아버지'로 불릴 만큼 전술에 능했다.

INDEX

HAROLD S. GENEEN	해롤드 S. 제닌	1960년대 미국 경영계에 파란을 일으킨 장본인으로, 세계적인 제조업체 ITT를 미국 내 광공업회사의 10위권 안에 드는 기업으로 성장시킨 기업가이다.
HELEN ADAMS KELLER	헬렌 켈러	미국의 작가이자 사회사업가. 세계 최초로 대학 교육을 받은 시각, 청각 장애인으로 사회적 약자의 인권을 위해 앞장섰다.
HENRI MATISSE	앙리 마티스	회화, 조각, 그래픽 아트 등 다양한 분야에서 명성을 떨친 미술가. 야수주의의 창시자로 강렬한 색채와 형태의 작품을 주로 선보였다.
HENRY DAVID THOREAU	헨리 데이비드 소로	늘 자연과 가까이 하며 사회 문제에도 목소리를 높인 사상가 겸 문학자이다. 미국 산문 문학의 고전으로 자리잡은 『월든』을 썼다.
HENRY FORD	헨리 포드	미국의 자동차 회사 포드의 창립자로, '자동차의 왕'으로 불리며 자동차 대중화의 계기를 마련했다.
HERMANN HESSE	헤르만 헤세	휴머니즘을 지향한 작가. 『수레바퀴 아래서』, 『데미안』 등의 작품을 통해 인간 해방과 자유에 대해 이야기했다.
I		
INGVAR KAMPRAD	잉바르 캄프라드	세계 최대 가구 회사 이케아의 설립자. 세계 최초로 조립식 가구를 만든 혁신의 아이콘이다.
J		
JAMES BYRON DEAN	제임스 딘	1950년대 영화계의 핵심 인물로 꼽히는 영화배우. 〈이유없는 반항〉 등에 출연하여 인기를 얻었으나 교통사고로 짧은 생을 마감했다.
JAMES NASMYTH	제임스 네이즈미스	영국의 기계기술자이자 발명가로, 증기 해머를 발명해 특허를 얻었다.
JEFF BEZOS	제프 베조스	아마존의 설립자이자 최고 경영자. 혁신적인 시스템과 철학으로 아마존을 세계 최대 기업 중 하나로 만들었다.

INDEX

JEFF KOONS	제프 쿤스	미국의 현대미술가. '키치의 왕'으로 불리며 고급문화와 저급문화를 넘나드는 네오 팝아트를 주로 선보인다.
JIM CARREY	짐 캐리	캐나다 출신의 영화배우로, 〈마스크〉, 〈브루스 올마이티〉 등에서의 코미디 연기로 잘 알려져 있다.
JOE NAMATH	조 나마스	미식 축구 리그에서 가장 상징적이며 인기 있는 인물 중 하나로 꼽히는 선수.
JOHANN WOLFGANG VON GOETHE	요한 볼프강 폰 괴테	독일의 시인, 극작가, 정치가, 과학자. 『파우스트』를 비롯한 괴테의 대표작들은 독일 문학을 세계적 수준으로 끌어올렸다.
JOHN DEWEY	존 듀이	미국의 철학자이자 교육학자로, 아동 중심 교육과 실용주의를 강조했다.
JOHN RUSKIN	존 러스킨	빅토리아 시대의 예술 비평가이자 사회운동가. 건축, 문학, 교육, 경제에 이르는 다양한 주제의 글을 썼다.
JONAS EDWARD SALK	조너스 소크	미국의 의학자로, 세균학과 역병학 등 예방의학을 연구하며 소아마비 예방 백신을 개발했다.
JULIA MORGAN	줄리아 모건	미국 캘리포니아주 최초의 여성 건축가. 50년간 건축가로 활동하며 700여 개의 건축물을 남겼다.
JULIA SOREL	줄리아 소렐	미국의 영화배우로, 〈미스티〉 등의 작품에 조연으로 출연했다.

L

LEONARD BERNSTEIN	레너드 번스타인	미국의 지휘자이자 작곡가로, 뉴욕필하모닉의 상임지휘자 및 음악감독을 맡았다.

INDEX

LEONARDO DA VINCI	레오나르도 다 빈치	르네상스 시대의 이탈리아를 대표하는 미술가이자 과학자. 〈모나리자〉, 〈최후의 만찬〉을 비롯해, 수많은 걸작을 남겼다.

M

MARC CHAGALL	마르크 샤갈	러시아 출신의 프랑스 화가로, 중력의 법칙을 벗어난 영원의 사랑을 주제로 작업했다.
MARCEL DUCHAMP	마르셀 뒤샹	프랑스의 화가로, 남성용 소변기를 소재로 활용한 작품 〈샘〉을 선보이며 '레디메이드'라는 개념을 창안했다.
MARK TWAIN	마크 트웨인	『톰소여의 모험』으로 잘 알려져 있는 미국의 소설가. 여러 작품을 통해 반제국주의, 반전에 대한 메시지를 전하기도 했다.
MAX BEERBOHM	맥스 비어봄	영국의 풍자화가이자 에세이스트. 신랄한 풍자와 세련된 위트로 20세기 초 런던의 문단과 예술계를 유머러스하게 그려냈다.
MAYA ANGELOU	마야 안젤루	미국의 시인이자 소설가로, 토니 모리슨, 오프라 윈프리와 함께 미국에서 가장 영향력 있는 흑인 여성 중 한 명으로 꼽힌다.
MICHAEL JORDAN	마이클 조던	전설적인 농구 선수. 1990년대 대중문화의 아이콘 중 하나였으며, 인종차별 완화에 큰 영향을 미친 인물이기도 하다.
MICHELLE OBAMA	미셸 오바마	미국 제44대 대통령 버락 오바마의 부인으로, 미국 최초의 아프리카계 영부인이다. 역사상 가장 사랑받은 퍼스트레이디 중 한 명으로 꼽힌다.

N

NAPOLEON HILL	나폴레온 힐	20세기 최고의 성공철학서로 평가받는 『Think and Grow Rich』의 저자. 미국 대통령 고문관과 홍보담당 비서관으로도 활약했다.
NIELS BOHR	닐스 보어	덴마크의 물리학자로, 원자 구조의 이해와 양자역학 성립에 기여한 공을 인정받아 노벨물리학상을 수상했다.

INDEX

P

PEARL S. BUCK	펄 S. 벅	소설 『대지』를 통해 미국 여성 최초로 노벨문학상을 수상한 작가. 열정적인 사회운동가이기도 하다.
PETE DOCTER	피트 닥터	픽사 애니메이션 스튜디오의 최고 크리에이티브 책임자로, 〈토이 스토리〉, 〈인사이드 아웃〉 등을 연출했다.
PETER FERDINAND DRUKER	피터 드러커	현대 경영학을 창시하고 체계적으로 수립한 경영학자로 평가받는다. 주로 인간이 기업에 의해 어떻게 조직화되는지를 탐구했다.
PAULO COELHO	파울로 코엘료	인간의 내면과 삶의 본질적 측면을 다루는 브라질의 소설가. 대표작으로 『연금술사』가 있다.

Q

QUINCY JONES	퀸시 존스	미국의 음악 프로듀서로 흑인 음악의 과거와 미래를 잇는 인물로 여겨진다. 현재까지 제작한 앨범 매상량만 총 5천만이 넘는다.

R

RALPH WALDO EMERSON	랄프 왈도 에머슨	미국의 사상가이자 시인으로, 정신과 물질의 관계를 철학의 영원한 문제라고 보았다.

S

SAINT-EXUPERY	생텍쥐페리	전 세계적으로 사랑받는 『어린왕자』를 집필한 프랑스의 소설가이자 비행기 조종사이다.
SALVADOR DALI	살바도르 달리	20세기 가장 독창적인 화가로 불리는 초현실주의의 거장. 꿈과 환상의 세계를 주로 다루며, 사진가, 영화제작자로도 활동했다.
SHERYL KARA SANDBERG	셰릴 샌드버그	미국의 기업인으로, 페이스북 최고 운영 책임자를 맡고 있다. 2012년 타임지 선정 '세계에서 가장 영향력 있는 100인'에 꼽혔다.
SIDONIE-GABRIELLE COLETTE	시도니 가브리엘 콜레트	프랑스의 소설가. 특유의 감각적 표현과 연인들 간의 심리묘사로 높은 평가를 받았다.

INDEX

SIMONE DE BEAUVOIR	시몬 드 보부아르	행동하는 지성으로서의 면모를 보여준 실존주의 소설가이자 사상가. 대표작 『제2의 성』은 페미니즘의 고전으로 불린다.
STEVE JOBS	스티브 잡스	매킨토시 컴퓨터를 선보인 21세기 혁신의 아이콘으로, 오늘날 모바일 시대를 만든 애플사의 창업자이다.
STEPHEN GROVER CLEVELAND	스테판 그로버 클리블랜드	미국의 제22대, 제24대 대통령. 어떠한 집단에도 특혜를 주지 않는 정책을 강력히 추구했다.
STEPHEN WILLIAM HAWKING	스티븐 호킹	영국의 이론물리학자로, 루게릭병 투병 중에도 '특이점 정리', '호킹 복사' 등 뛰어난 연구 성과를 거두었다.
SUSAN SONTAG	수전 손택	미국 최고의 에세이 작가이자 소설가, 예술평론가로 행동하는 지식인의 면모를 보이며 뉴욕 지성계의 여왕으로 불렸다.

T

TED TURNER	테드 터너	미국의 방송사 CNN을 설립한 언론 재벌이자 기업가. 세계 최고의 자선사업가로 불리기도 한다.
THOMAS ALVA EDISON	토마스 에디슨	세계에서 가장 많은 발명을 남긴 천재 발명가. 백열전구의 생산법을 발명해, '세상을 밝힌' 인물로 평가받는다.
THOMAS CARLYLE	토마스 칼라일	영국의 비평가이자 역사가로, 이상주의적인 사회 개혁을 제창하며 19세기 사상계에 큰 영향을 미쳤다.
THOMAS FULLER	토마스 풀러	영국의 종교인이자 역사학자. 인물 중심의 역사서를 다수 남겼으며, 재치 있으면서도 깊이 있는 설교로 명성을 얻었다.
TOM BROKAW	톰 브로코	23년간 앵커로 활약하며 미국 NBC방송을 대표했던 언론인.

TWYLA THARP	트와일라 타프	고전과 현대발레를 섞은 크로스오버 발레의 창조자. 1980년대부터 뉴욕시립발레단, 런던로열발레단 등 총 10개 발레단의 안무를 맡았다.
V		
VICTOR HUGO	빅토르 위고	프랑스의 낭만파 시인이자 소설가 겸 극작가. 불후의 걸작 『노트르담 드 파리』와 『레 미제라블』을 남겼다.
VINCENT VAN GOGH	빈센트 반 고흐	서양 미술사상 가장 위대한 화가 중 한 사람으로 여겨진다. 두드러진 색채와 붓놀림으로 표현주의에 강력한 영향을 미쳤다.
W		
WALT DISNEY	월트 디즈니	미키 마우스, 도날드 덕 등 세계에서 가장 잘 알려진 캐릭터를 탄생시킨 만화영화 제작자이자 사업가이다.
WALTER BAGEHOT	월터 배젓	영국의 경제학자이자 문예비평가. 1860년 편집장이 된 이래로 평생 이코노미스트지에 몸담았다.
WALTER HORATIO PATER	월터 페이터	영국의 평론가이자 소설가. 탐미주의 사상에 큰 영향을 주며 비평을 문학의 반열로 끌어올렸다.
WARREN BUFFETT	워런 버핏	'투자의 귀재'로 불리는 미국의 사업가이자 투자자이다.
WILLIAM J. BRENNAN JR.	윌리엄 J. 브레넌 주니어	전 미국 연방 대법원의 대법관. 사형에 반대하고 낙태 권리를 지지하는 등 솔직하고 진보적인 견해로 유명하다.
WILLIAM CRAPO DURANT	윌리엄 듀런트	자동차 산업의 선구자. 제너럴모터스와 시보레를 설립했다.
WILLIAM OSLER	윌리엄 오슬러	'현대의학의 아버지'로 불리는 영국의 의학자. 미국 존스홉킨스 병원 설립에 기여했고, 주요 저서로 『의학의 원리와 실제』가 있다.

INDEX

WILLIAM SHAKESPEARE	윌리엄 셰익스피어	영국이 낳은 세계 최고의 극작가. 〈로미오와 줄리엣〉, 〈베니스의 상인〉 등 인간 내면을 통찰한 걸작을 남겼다.
WINSTON CHURCHILL	윈스턴 처칠	제2차 세계대전을 승리로 이끈 영국의 정치가. 역사적 사실을 기술한 산문집으로 노벨문학상을 수상하기도 했다.
Y		
YOON YEO-JUNG	윤여정	1971년 〈화녀〉로 데뷔한 영화배우. 〈미나리〉로 제93회 아카데미 시상식에서 한국인 최초 여우조연상을 수상했다.
Z		
ZIG ZIGLAR	지그 지글러	『시도하지 않으면 아무것도 할 수 없다』를 포함해, 25권의 베스트셀러를 발표한 작가이자 동기부여가.

REFERENCE

《DEAD POETS SOCIETY》	죽은 시인의 사회, 1989	미국의 명문 고등학교 학생들이 새로 부임한 영어 교사 '키팅'을 통해 입시보다 중요한 인생의 의미를 배워가는 영화이다.
《MORNING GLORY》	굿모닝 에브리원, 2010	지방 방송국에서 해고된 PD가 새로운 직장에서 살아남기 위해 고군분투하는 이야기를 담은 영화이다.
《THE INTERN》	인턴, 2015	30세의 CEO와 70세 인턴이 나이와 성별을 뛰어넘는 우정을 맺으며 일과 사랑, 인생에 대해 교감을 나누는 영화이다.
《ZOOTOPIA》	주토피아, 2016	최초의 토끼 경찰관 주디 홉스가 연쇄 실종사건을 해결하며 편견에 맞서 싸우는 영화이다.

발행처	어반북스
발행인	이윤만
편집장	김태경
기획	아틀리에 드 에디토
책임편집	오지수
디자인	FORMULA
사진제공	게티이미지코리아
주소	경기도 하남시 미사대로 540, B-328
홈페이지	urbanbooks.co.kr
이메일	info@urbanbooks.co.kr
연락처	070-8639-8004
ISBN	979-11-89096-30-4

문장수집가
2021년 12월 13일 초판1쇄 인쇄
2021년 12월 24일 초판1쇄 발행
2024년 3월 23일 4쇄 발행
가격 18,500 KRW

『문장수집가』 시리즈는 에디터의 시선으로,
넘쳐나는 언어의 홍수 속에서 발견한 사유의 문장들을
그래픽 디자이너의 동시대적인 감각으로 선보입니다.
@atelier_de_edito